Autores varios

Decreto orgánico
de la dictadura de Bolívar

Barcelona 2024
Linkgua-ediciones.com

Créditos

Título original: Decreto orgánico de la dictadura de Bolívar.

© 2024, Red ediciones S.L.

e-mail: info@Linkgua-ediciones.com

Diseño de cubierta: Michel Mallard.

ISBN rústica: 978-84-9816-141-0.
ISBN ebook: 978-84-9897-611-3.

Sumario

Brevísima presentación

La vida
(Caracas, 24 julio 1783-Santa Marta, Colombia, 17 diciembre 1830)

Simón Bolívar nació en una familia aristócrata y tuvo una excelente educación. Sus padres murieron cuando tenía nueve años. En 1799 viajó a España para estudiar, y en 1802 se casó con María Teresa Rodríguez del Toro y Alayza; quien murió un año después en Venezuela.

Bolívar vivió otra vez en Europa en 1804 y en Roma hizo el célebre juramento de no descansar hasta que América fuese libre.

A raíz de los acontecimientos del 19 de abril de 1810, Bolívar fue enviado a Inglaterra con Andrés Bello y Luis López Méndez en una misión diplomática para lograr el reconocimiento de la nación que habían fundado.

Tras la derrota de Miranda por las fuerzas realistas, Bolívar huyó a Cartagena desde donde regresó a Venezuela en 1813 y fue proclamado Libertador en Mérida. Allí hizo pública la «Guerra a muerte». En agosto tomó Caracas y empezó la segunda república.

En 1819 se creó el congreso de Angostura y se fundó la Gran Colombia (Venezuela, Colombia, Panamá y Ecuador) de la que fue nombrado presidente. En agosto de ese año ganó la Batalla de Boyacá y cruzó los Andes para liberar Perú, saliendo invicto junto a Sucre en la Batalla de Junín, el 6 de agosto de 1824.

Durante su estancia fuera de Venezuela lo apartaron del poder en medio de las rivalidades entre los caudillos. Murió en Colombia, en la ciudad de Santa Marta, el 17 de diciembre de 1830.

El marco histórico del Decreto

La convención del 9 de abril de 1828, se dividió en tres fracciones: una encabezada por el general Francisco de Paula Santander vicepresidente de la Gran Colombia que pretendía un gobierno federal; otra liderada por Bolívar, defendía un gobierno dictatorial; y una tercera, la de los independientes, de Joaquín Mosquera. Tras el fracaso de la Convención, Bolívar se proclamó dictador el 27 de agosto de 1828, mediante el presente Decreto Orgánico de la Dictadura.

El 25 de septiembre de 1828, Bolívar sobrevivió a un atentado en Bogotá, conocido como la Conspiración Septembrina. En un principio perdonó a los acusados, miembros de la facción «santanderista». Sin embargo, al final fueron fusilados y Francisco de Paula Santander marchó al exilio.

Decreto orgánico de la dictadura de Bolívar

27 de agosto de 1828

Que debe servir de Ley constitucional [sic] del Estado hasta el año de mil ochocientos treinta.

Simón Bolívar, Libertador, Presidente de la República de Colombia, etc., etc., etc.:

Considerando: que desde principios del año de 1826, se manifestó un deseo vivo de ver reformadas las instituciones políticas, el cual se hizo general y se mostró con igual eficacia en toda la República, hasta haber inducido al congreso de 1827 a convocar la gran convención para el día 2 de marzo del presente año, anticipando el período indicado en el Artículo 191 de la Constitución del año 11.º;

Considerando: que convocada la convención, con el objeto de realizar las reformas deseadas, fue éste un motivo de esperar que se restableciera la tranquilidad nacional;

Considerando: que la convención reunida en Ocaña el día 9 de abril de este año, declaró solemnemente y por unanimidad de sufragios la urgente necesidad de reformar la Constitución;

Considerando: que esta declaración solemne de la representación nacional convocada y reunida para resolver previamente sobre la necesidad y urgencia de las reformas, justificó plenamente el clamor general que las había pedido, y, por consiguiente, puso el sello al descrédito de la misma Constitución;

Considerando: que la convención no pudo ejecutar las reformas que ella misma había declarado necesarias y urgentes, y que antes bien se disolvió, por no haber podido convenir sus miembros en los puntos más graves y cardinales;

Considerando: que el pueblo en esta situación, usando de los derechos esenciales que siempre se reserva para libertarse de los estragos de la anarquía y proveer del modo posible a su conservación y futura prosperidad, me ha encargado de la suprema magistratura para que consolide la unidad del Estado, restablezca la paz interior y haga las reformas que se consideren necesarias;

Considerando: que no me es lícito abandonar la patria a los riesgos inminentes que corre; y que como magistrado, como ciudadano, y como soldado es mi obligación servirla;

Considerando: en fin, que el voto nacional se ha pronunciado unánime en todas las provincias, cuyas actas han llegado ya a esta capital, y que ellas componen la gran mayoría de la nación;

Después de una detenida y madura deliberación he resuelto encargarme, como desde hoy me encargo, del poder supremo de la República, que ejerceré con las denominaciones de «Libertador», «Presidente», que me han dado las leyes y los sufragios públicos; y expedir el siguiente:

Decreto orgánico

Título I. Del Poder Supremo

Artículo 1. Al jefe supremo del Estado corresponde:

1. Establecer y conservar el orden y tranquilidad interior, y asegurar el Estado contra todo ataque exterior;

2. Mandar las fuerzas de mar y tierra;

3. Dirigir las negociaciones diplomáticas, declarar la guerra, celebrar tratados de paz y amistad, alianza y neutralidad, comercio y cualesquiera otros con los gobiernos extranjeros;

4. Nombrar para todos los empleos de la República, y remover o relevar o los empleados cuando lo estime conveniente;

5. Expedir los decretos y reglamentos necesarios de cualquiera naturaleza que sean, y alterar, reformar o derogar las leyes establecidas;

6. Velar sobre que todos los decretos y reglamentos, así como las leyes que hayan de continuar en vigor sean exactamente ejecutadas en todos los puntos de la República;

7. Cuidar de la recaudación, inversión y exacta cuenta de las rentas nacionales;

8. Hacer que la justicia se administre pronta e imparcialmente por los tribunales y juzgados, y que sus sentencias se cumplan y ejecuten;

9. Aprobar o reformar las sentencias de los consejos de guerra y tribunales militares en las causas criminales seguidas contra oficiales de los ejércitos y de la marina nacional;

10. Conmutar las penas capitales con dictamen del consejo de Estado, que se establece por este decreto, y a propuesta de los tribunales que las hayan decretado u oyéndolos previamente;

11. Conceder amnistías o indultos generales o particulares: y disminuir las penas cuando lo exijan graves motivos de conveniencia pública, oído siempre el consejo de Estado;

12. Conceder patentes de corso y represalia;

13. Ejercer el poder natural como jefe de la administración general de la República en todos sus ramos, y como encargado del poder supremo del Estado;

14. Presidir, en fin, cuando lo tenga por conveniente, el consejo de Estado.

Artículo 2. En el ejercicio del poder ejecutivo será auxiliado con las luces y dictamen de un consejo de ministros

Título II. Del Ministerio de Estado y Consejo de Ministros

Artículo 3. El Consejo de Ministros se compone de un presidente y de los ministros secretarios de Estado.

Artículo 4. El Ministerio de Estado se distribuye en los seis departamentos siguientes:

1. Del Interior o Gobierno;

2. De Justicia;

3. De Guerra;

4. De Marina;

5. De Hacienda;

6. De Relaciones Exteriores.

Un decreto organizará el Ministerio y sus departamentos y hará la distribución de sus despachos.

El Libertador Presidente puede encargar a un ministro el servicio de dos o más secretarias.

Artículo 5. Cada ministro es el jefe de su respectivo departamento, y órgano preciso para comunicar las órdenes que emanen del poder supremo. Ninguna orden expedida por otro conducto, ni decreto alguno que no esté autorizado por el respectivo ministro debe ser ejecutado por ningún funcionario, tribunal ni persona privada.

Artículo 6. Los ministros secretarios de Estado son responsables en todos los casos que falten al exacto cumplimiento de sus deberes, en los cuales serán juzgados en conformidad de un decreto especial que se dará sobre la materia.

Artículo 7. En los casos de enfermedad, ausencia o muerte del Presidente del Estado, se encargará del gobierno de la República el Presidente del consejo de ministros, y su primer acto en el último caso será el de convocar la representación nacional para dentro de un término que no exceda de ciento y cincuenta días.

Título III. Del Consejo de Estado

Artículo 8. El Consejo de Estado se compone del presidente del Consejo de Ministros, de los ministros secretarios de Estado, y al menos de un consejero por cada uno de los actuales departamentos de la República.

Artículo 9. Cuando el Libertador no presida al consejo de Estado lo hará el presidente del Consejo de ministros.

Artículo 10. Corresponde al Consejo de Estado:

1. Preparar todos los decretos y reglamentos que haya de expedir el jefe del Estado, ya sea tomando la iniciativa, o a propuesta de los ministros respectivos, o en virtud de órdenes que se le comuniquen al efecto: un reglamento especial que se dará el Consejo, previa la aprobación del gobierno, fijará las reglas de proceder a su propia policía;

2. Dar su dictamen al gobierno en los casos de declaración de guerra, preliminares de paz, ratificación de tratados con otras naciones en los de los números 9, 10 y 11 del Artículo 2.°, Título I de este Decreto, y en todos los demás arduos en que se le pida;

3. Informar sobre las personas de aptitud y mérito para las prefecturas y gobiernos de las provincias,

para jueces de la alta corte, cortes de apelación y de los demás tribunales y juzgados; para los arzobispados, obispados, dignidades, canonjías, raciones y medias raciones de las iglesias metropolitanas y catedrales, y para jefes de las oficinas superiores y principales de hacienda.

Título IV. De la organización y administración del territorio de la República

Artículo 11. El territorio de la República para su mejor administración se distribuirá en prefecturas, que serán demarcadas con dictamen del consejo de Estado luego que se reúna.

Artículo 12. El jefe de cada prefectura será un prefecto.

Artículo 13. Los prefectos son los jefes superiores políticos en sus respectivos distritos, y en ellos los agentes naturales e inmediatos del jefe de Estado: sus funciones y deberes son los que atribuyan las leyes a los intendentes.

Artículo 14. Quedan suprimidas las intendencias de los departamentos: cada provincia será administrada por un gobernador, cuyas funciones y deberes son los que se detallan lelas leyes, y cuya clasificación se hará por un decreto especial.

Título V. De la Administración de Justicia

Artículo 15. La justicia será administrada en nombre de la República y, por autoridad de la ley, una alta corte, cortes de apelación y juzgados de primera instancia, tribunales de comercio, cortes de almirantazgo y tribunales militares.

Artículo 16. Será una de las primeras atenciones del consejo de Estado consultar los decretos orgánicos de los tribunales y juzgados, así como lo conveniente sobre el establecimiento de jueces de hecho, tribunales de policía correccional y organización del ministerio público.

Título VI. Disposiciones generales

Artículo 17. Todos los colombianos son iguales ante la ley e igualmente admisibles para servir todos los empleos civiles, eclesiásticos y militares.

Artículo 18. La libertad individual será igualmente garantizada, y ninguno será preso por delitos comunes sino en los casos determinados por las leyes, previa información sumaria del hecho y orden escrita de la autoridad competente. Mas no se exigirán estos requisitos para los arrestos que ordene la policía como pena correccional, ni para los que la seguridad pública haga necesarios en casos de delitos de Estado.

Artículo 19. La infamia que irrogue alguna pena nunca se extenderá a otro que al delincuente.

Artículo 20. Todos tienen igual derecho para publicar y hacer imprimir sus opiniones sin previa censura, conformándose a las disposiciones que reprimen los abusos de esta libertad.

Artículo 21. Todas las propiedades son igualmente inviolables: y cuando el interés público por una necesidad manifiesta y urgente hiciere forzoso el uso de alguna, siempre será con calidad de justa indemnización.

Artículo 22. Es libre a los colombianos todo género de industria, excepto en los casos en que la ley restrinja esta libertad en beneficio público.

Artículo 23. Los colombianos tienen expedito el derecho de petición, conformándose a los reglamentos que se expidan sobre la materia.

Artículo 24. Son deberes de los colombianos vivir sometidos al gobierno, y cumplir con las leyes, decretos, reglamentos e instrucciones del poder supremo y velar en que se cumplan: respetar y obedecer a las autoridades; contribuir para los gastos públicos en proporción a su fortuna, servir a la patria; y estar prontos en todo tiempo a defenderla, haciéndole hasta el sacrificio de su reposo, de sus bienes y de su vida, si fuere necesario.

Artículo 25. El gobierno sostendrá y protegerá la Religión Católica, Apostólica, Romana, como la religión de los colombianos.

Artículo 26. El presente Decreto será promulgado y obedecido por todos como ley constitucional del Estado, hasta que reunida la representación nacional, que se convocará para el de enero de 1830, dé ésta la Constitución de la República.

Dado en el Palacio de Gobierno de Bogotá a 27 de agosto de 1828. 18.° de la independencia; y refrendado por los ministros secretarios de Estado.

(Firmado). Simón Bolívar. Por el Libertador Presidente de Colombia. El Secretario del Interior, José M. Restrepo. El Secretario de Guerra, Rafael Urdaneta. El Secretario de Relaciones Exteriores, Estanislao Vergara. El Secretario interino de Hacienda, Nicolás M. Tanco.

Libros a la carta

A la carta es un servicio especializado para
empresas,
librerías,
bibliotecas,
editoriales
y centros de enseñanza;
y permite confeccionar libros que, por su formato y concepción, sirven a los propósitos más específicos de estas instituciones.

Las empresas nos encargan ediciones personalizadas para marketing editorial o para regalos institucionales. Y los interesados solicitan, a título personal, ediciones antiguas, o no disponibles en el mercado; y las acompañan con notas y comentarios críticos.

Las ediciones tienen como apoyo un libro de estilo con todo tipo de referencias sobre los criterios de tratamiento tipográfico aplicados a nuestros libros que puede ser consultado en Linkgua-ediciones.com .

Linkgua edita por encargo diferentes versiones de una misma obra con distintos tratamientos ortotipográficos (actualizaciones de carácter divulgativo de un clásico, o versiones estrictamente fieles a la edición original de referencia).

Este servicio de ediciones a la carta le permitirá, si usted se dedica a la enseñanza, tener una forma de hacer pública su interpretación de un texto y, sobre una versión digitalizada «base», usted podrá introducir interpretaciones del texto fuente. Es un tópico que los profesores denuncien en clase los desmanes de una edición, o vayan comentando errores de interpretación de un texto y esta es una solución útil a esa necesidad del mundo académico.

Asimismo publicamos de manera sistemática, en un mismo catálogo, tesis doctorales y actas de congresos académicos, que son distribuidas a través de nuestra Web.

El servicio de «libros a la carta» funciona de dos formas.

1. Tenemos un fondo de libros digitalizados que usted puede personalizar en tiradas de al menos cinco ejemplares. Estas personalizaciones pueden ser de todo tipo: añadir notas de clase para uso de un grupo de estudiantes, introducir logos corporativos para uso con fines de marketing empresarial, etc. etc.

2. Buscamos libros descatalogados de otras editoriales y los reeditamos en tiradas cortas a petición de un cliente.

www.ingramcontent.com/pod-product-compliance
Lightning Source LLC
Chambersburg PA
CBHW021339290326
41933CB00038B/990